martine
De super voyages !

5
HISTOIRES

casterman

**martine
en voyage**

**martine
en avion**

**martine
en bateau**

**martine
en montgolfière**

**martine
prend le train**

martine
en voyage

GILBERT DELAHAYE - MARCEL MARLIER

Martine et Annie sont deux petites filles rêveuses et insouciantes.
Toute la journée, elles jouent à la balançoire et courent derrière
les papillons.
Mais elles ne savent ni lire, ni écrire, ni compter.
Parfois, elles sont même très étourdies.

Chaque jour, Maman leur apprend à lire, à faire des additions, à écrire *papa, maman, poupée, ballon*. C'est si simple !

Mais Martine et Annie préfèrent jouer dans le jardin.

– À quoi cela sert-il de connaître l'alphabet par cœur ?

demande Martine.

Et Maman soupire :

– Vous ne saurez jamais lire, ni même écrire votre nom.

Ce matin, Maman est allée acheter des crayons de couleur
à la librairie.

– Si nous allions nous promener, propose Martine.

– Tu as raison, nous allons faire un grand voyage.

Et elles préparent leur valise.

Lorsqu'elles quittent le jardin, tous leurs amis sont réunis devant la grille :
l'ours en peluche, Jeannot le lapin mécanique et le soldat de bois.

Pour voyager, Martine a mis sa plus jolie robe. On voit danser son ombrelle au-dessus de son chapeau de paille garni de cerises.

Annie est ravissante avec son foulard qu'elle a noué sur la tête.

– Où allons-nous ? demande Annie.

– En Afrique.

– Est-ce loin l'Afrique ?

– Oh oui, répond Martine. Il faut prendre le train et le bateau.

Et elles se mettent à marcher à grandes enjambées, comme fait
Maman quand elle est très pressée. Elles arrivent bientôt à la gare.

– Où allez-vous ? demande le chef de gare.

– En Afrique, répond Annie.

– Mais c'est très loin d'ici ! fait le chef de gare.

Puis il regarde sa montre et souffle dans le sifflet qui pend à sa
boutonnière. Martine et Annie ont tout juste le temps de monter dans
le train.

Comme c'est amusant de rouler à travers la campagne !

Dans les prés, les agneaux font des cabrioles parmi les boutons d'or et

les marguerites. La bergère envoie des baisers à Martine et à Annie.

Jamais, elles n'ont fait un tel voyage.

Tout à coup le train s'arrête au milieu d'un village.

On descend sur le quai.

– Nous allons suivre ce chemin, décide Martine. Elle prend la main

d'Annie.

La route est longue. Il fait très chaud.

Au bout de la route il y a un pont, sous le pont un fleuve, au bord du fleuve un arbre rempli d'oiseaux.

– C'est là qu'il faut prendre le bateau ?

– Je crois que oui. Nous allons l'attendre ici. Tiens, il y a un écriteau.

– Qu'est-ce qui est écrit ? demande Annie.

– Je ne sais pas, fait Martine perplexe…

Annie et Martine s'assoient au bord de l'eau. Elles attendent toute la journée et toute la nuit le bateau qui doit les emmener en Afrique. Le lendemain, comme il n'est pas encore arrivé, elles le cherchent partout.

Vient à passer un petit boulanger.

La pancarte : LE BATEAU SE TROUVE DE L'AUTRE CÔTÉ DU PONT

– Petit boulanger ! appelle Martine.

Le boulanger s'arrête, son panier de brioches sous le bras.

– Nous voudrions savoir où se trouve le bateau.

– C'est écrit là, sur la pancarte : *Le bateau se trouve de l'autre côté du pont*, répond le boulanger.

Décidément, ce qui est écrit sur les écriteaux est très important. Martine regrette beaucoup de ne pas savoir lire. Elle remercie le boulanger, puis elle entraîne Annie vers le pont.

– Courons, courons, le bateau va partir. Entends-tu la cloche ?

Mais lorsqu'elles arrivent de l'autre côté du pont, il est trop tard. Le bateau vient de quitter la berge. Il est au milieu du fleuve et une épaisse fumée noire sort de sa cheminée.

– Le bateau est parti !

– Il ne faut pas pleurer, dit Martine. Nous allons retourner à la maison.

Sitôt dit, sitôt fait : on se remet en marche.

Mais Martine et Annie sont très fatiguées. Justement, près du ruisseau, un banc les attend :

– Il y a un carton sur le banc. Regarde ce qui est écrit dessus.

– Aucune importance, puisqu'on ne sait pas lire.

– Tant pis, reposons-nous, fait Martine en jetant le carton dans l'herbe.

Et l'on s'assied sur le banc. Hélas ! le fermier vient de le peindre en vert. C'est pourquoi il a écrit sur le carton : *Prenez garde à la peinture !* Et voilà que la robe de Martine est toute tachée. Que va dire Maman ? Si Martine avait su lire, elle aurait fait plus attention.

Après avoir nettoyé sa robe sur le bord du ruisseau, elle dit :

– Traversons le village.

À l'entrée du bourg, un fermier conduit une charrette chargée de blé.

– Le chemin de la maison, c'est par ici, Monsieur ? lui demande
Martine.

– Oui, mes enfants, c'est par ici. Il faut prendre la huitième route
à droite.

La route joue à saute-mouton sur la colline. Puis elle rencontre une autre route, une troisième et une quatrième. Il y en a tant qu'on ne sait plus les compter. Martine et Annie se trompent de chemin et se perdent dans la forêt : ce qui n'arrive jamais lorsqu'on a bien appris à compter.

La forêt est habitée par les lapins, les oiseaux et les écureuils.

– Venez jouer avec nous, demande un lapin.

– Nous cueillerons des mûres, ajoute un merle.

– Nous voulons rentrer chez nous, interrompt Martine, qui se fâche.

– Où est notre maison ? insiste Annie.

À ces mots, tous les animaux se mettent à rire.

– Il n'y a pas de maison ici, explique maman-lapin. Ici c'est la forêt,
avec les arbres, les clairières et les petits sentiers qui n'en finissent pas.
Comme elle a bon cœur, elle ajoute :
– Je vais vous reconduire auprès de votre maman. La nuit va
bientôt tomber.
Elle prend sa lanterne et des allumettes. Martine et Annie la suivent.
On allume la lanterne qui se balance le long du chemin et
les papillons de nuit dansent dans la lumière.

C'est ainsi qu'elles arrivent bien fatiguées à la maison. Maman leur
tend les bras et remercie maman-lapin de tout cœur.

Tout le monde est content. Jeannot, l'ours et le soldat de bois se
mettent à danser autour de Martine et d'Annie. Les fillettes ont soin
de ne pas raconter leurs mésaventures. Mais le lendemain matin,
elles apprennent par cœur l'alphabet et font des additions.

Plus tard, beaucoup plus tard, elles feront toutes deux un second
voyage. Elles s'amuseront à compter les arbres et elles auront beaucoup
de plaisir à lire les écriteaux qu'elles rencontreront en chemin.

martine
en avion

GILBERT DELAHAYE - MARCEL MARLIER

Cet été, Martine et sa maman vont passer leurs vacances à l'étranger.

Les voici à l'agence de voyages. Sur les murs, il y a des affiches

touristiques avec des avions, des bateaux et de jolis paysages.

– Tu vois, dit Martine à Patapouf, ceci, c'est la Méditerranée.

Voilà l'Espagne et l'Italie. Rome est là sur la carte.

– Que désirez-vous ? demande l'hôtesse.

– Nous voudrions aller en Italie.

– Eh bien, prenez l'avion. C'est tellement agréable !
En quelques heures vous serez arrivées.

– C'est une excellente idée !

Comme il reste encore quelques places dans le prochain avion,
la maman de Martine s'est décidée tout de suite. Les billets pour
le voyage sont retenus. Les chambres à l'hôtel sont réservées.

Au jour fixé, papa conduit Martine et sa maman à l'aérogare.

Patapouf les accompagne.

Un tapis roulant emporte la valise de Martine. Les haut-parleurs
annoncent les départs pour toutes les grandes villes du monde.

Quelle heure est-il ? Il reste encore vingt minutes pour aller faire un tour
sur la terrasse.

De là, on aperçoit la Caravelle qui va emporter Martine. Elle atteint 800 km à l'heure, mesure 32 mètres de long, vole à 10 000 mètres de hauteur et pèse 48 tonnes avec son chargement et ses 75 passagers. Les valises s'empilent dans la soute à bagages. On achève le plein de carburant. On met en place la passerelle qui conduit à la cabine. L'avion est prêt pour le départ. Il est temps de se rendre sur la piste.

– J'espère que tu feras un bon voyage, dit l'hôtesse de l'air en souriant
à Martine.

– Est-ce que je peux emmener Patapouf ? demande Martine à son papa.

– Oh non, il doit rester à la maison avec moi. Nous irons bientôt
vous rejoindre.

– Oui, venez sans tarder, dit maman.

On s'embrasse. On se dit au revoir.

C'est le moment de monter à bord. Martine s'apprête à gravir la passerelle avec sa maman.

Une porte s'ouvre sous la queue de l'appareil. C'est par là qu'on pénètre dans l'avion.

– Au revoir, fait Martine en levant la main.

Elle n'a pas vu que Patapouf l'a suivie sur la piste. Il se cache derrière les bagages. Il agite la queue comme pour dire : « Vous allez voir, j'ai une bonne idée. »

Les voyageurs ont pris place dans l'avion. Le pilote s'installe aux commandes. Dans la tour de contrôle, on donne les dernières instructions. C'est le départ. Les mécaniciens s'éloignent sur la piste. Les moteurs rugissent.

L'avion roule sur le tarmac. Il prend de la vitesse.

Le voici qui décolle. Ainsi commence le voyage de Martine.

La ville est loin en arrière maintenant.

L'avion vole en plein ciel. Ses moteurs remplissent l'espace de leur tonnerre. Ses ailes luisent au soleil. Les radars le guident. Pour préparer son itinéraire, on a consulté la météo. Il se joue de l'averse, du brouillard, de la tempête.

Tout en bas, la terre déroule son tapis de forêts, de moissons,
de prairies. À travers les hublots, on distingue à peine les fleuves,
les routes, les villages. Tout paraît minuscule, vu de si haut. Les villes
sont comme des fourmilières et les maisons comme de petits cailloux
cachés dans la verdure.

À bord, tout va bien.

Le pilote manœuvre le gouvernail et maintient l'appareil sur la bonne route. Il surveille les aiguilles, les compteurs, les manomètres. Rien ne lui échappe.

Le copilote observe le ciel et les nuages, qui sont comme de hautes montagnes.

Le radio écoute les consignes que lui envoient les aérodromes. Il donne les dernières nouvelles du voyage.

Le mécanicien veille à la bonne marche des appareils.

C'est une chance d'avoir un tel équipage…

… et Martine poursuit son voyage comme dans un rêve. Elle s'est installée dans son fauteuil. Sous l'accoudoir, il y a un bouton pour déplacer le dossier quand on a envie de se reposer et un autre pour appeler le steward :

– Puis-je avoir une orangeade, s'il vous plaît ?

Cet avion est vraiment confortable : on peut y rêver, lire et écouter de la musique.

On s'y amuse presque aussi bien qu'à la maison avec les jeux de cubes,
les albums, les images.

Et puis, l'hôtesse de l'air est si gentille ! Les enfants qui voyagent en avion
l'aiment beaucoup. Pour faire passer le temps, elle présente les nouveaux
compagnons de voyage :

– Voici Martine.

– Moi, je m'appelle Thérèse.

– Et moi, Jean-Luc, dit un petit garçon. J'ai sept ans et je viens
de Londres.

C'est l'heure du dîner.

Le repas est prêt. La table n'est pas très grande, mais il n'y manque rien… Tiens, on a posé un petit bouquet à la place de Martine. Qui a pensé à le mettre là ? Le pilote ? Il a trop à faire. Le radio ? Il est justement occupé avec ses écouteurs.

Oui, vous l'avez deviné. C'est l'hôtesse de l'air.

Pendant ce temps, il se passe quelque chose d'anormal dans la soute à bagages.

Voici. Au moment du départ, comme tout le monde était occupé à embarquer, le pilote, le radio, le mécanicien, le steward, l'hôtesse de l'air et les voyageurs, vite Patapouf en a profité pour se faufiler parmi les bagages. Quand l'avion a décollé, il n'osait pas bouger.

À présent, quel remue-ménage ! Il s'amuse à dénouer les sangles. Il fait la culbute parmi les valises.

Mais on voyage vite, en avion. Après la plaine, la montagne, la mer,
l'Italie et ses villas toutes blanches. Passent les villages, les lacs bleus,
les cyprès et les palmiers. L'avion descend doucement. On est presque
arrivé.

– Attachez vos ceintures. Nous allons atterrir, dit l'hôtesse de l'air.

Et voici Rome. L'avion descend de plus en plus bas. On dirait qu'il va faucher les clochers et les cheminées d'usines avec ses grandes ailes. Dans les rues, les gens lèvent la tête.

– Regarde, dit un petit garçon, il a sorti son train d'atterrissage… Est-ce que tu as déjà été en avion ?

– Non, mais quand je serai grand, je serai pilote et j'irai jusqu'au bout du monde.

L'avion vient de se poser sur la piste. Martine débarque avec sa maman. Quelle surprise ! Voilà Patapouf qui sort de la soute à bagages. C'est une joie de se retrouver !

Vite, Martine prend son petit chien dans ses bras.

– Je vous souhaite un bon séjour à Rome, dit l'hôtesse de l'air.

– Je vous remercie, répond la maman de Martine. Nous avons fait un excellent voyage. Nous sommes heureuses d'être en Italie. C'est un pays merveilleux.

martine
en bateau

GILBERT DELAHAYE - MARCEL MARLIER

Martine part aujourd'hui pour New York. Miss Daisy, son professeur
d'anglais, l'accompagne.
Les amis d'Amérique ont écrit dans leur lettre d'invitation :
« Surtout, Martine, n'oublie pas ton petit chien Patapouf. On l'aime
bien. Il est si gentil ! Ce serait dommage de le laisser à la maison ! »
Donc Martine et Miss Daisy s'embarquent avec Patapouf sur
le paquebot.

Dans la cabine, Miss Daisy range les bagages. Martine fait la connaissance de ses nouveaux amis.

– Je m'appelle Annie, dit une petite fille.

– Moi, Martine, et mon petit chien, Patapouf.

– Est-il sage ?

– Ça dépend, pas toujours… Regardez, je suis dans la cabine à côté de la vôtre. Par le hublot, nous verrons la mer. Nous serons bien pour dormir. Il y a deux couchettes… et un panier pour Patapouf.

Le bateau de Martine s'appelle *La Martinique*. On vient de le remettre à neuf. Il sent bon le goudron et la peinture fraîche. Ses fanions claquent dans le vent. Sa cheminée fume.

C'est l'heure du départ. Tous les passagers sont sur le pont. Ils font signe de la main. Pour Martine et ses amis, c'est un beau voyage qui commence.

Le navire est déjà loin sur la mer. Il disparaît à l'horizon. On n'aperçoit plus que son panache de fumée qui monte vers le ciel.

Les mouettes planent au-dessus des vagues. Le vent souffle à peine. On dirait que l'océan respire doucement, doucement, comme une grosse bête endormie. C'est le soir. Là-bas, de petits nuages roses se promènent sur la mer. Pour aller se coucher, ils attendent que les étoiles se lèvent. Le soleil s'enfonce dans les flots. Il est rouge comme un ballon.

Neuf heures du matin. Martine et ses amis sont déjà sur le pont.

Il y a tant de choses à voir sur un navire… Mais voici le capitaine :

– Bonjour, mes enfants !

Il a l'air sérieux, le capitaine. C'est lui qui commande l'équipage.

Il ne faudrait pas que Patapouf fasse des bêtises, par exemple.

Justement, le voilà qui s'enfuit des cuisines. Il est allé fureter dans les paniers de poissons. Quelle aventure ! Un homard est resté suspendu par les pinces au bout de son museau.

Le cuisinier accourt, tout rouge encore du feu de ses fourneaux étincelants.

– Patapouf !... Patapouf !... crie Martine.

Patapouf traverse le pont à toute vitesse. Les passagers se retournent. Pauvre Patapouf, le voilà bien puni de sa curiosité !

Miss Daisy ne s'est pas mise en colère. Elle est allée se reposer dans sa cabine. Elle ne supporte pas le vent ni le soleil.

– Profitons-en pour visiter la salle des machines avec le chef mécanicien.

– Cette échelle est raide… prenez garde de glisser, mademoiselle Martine !

Cela n'est pas facile de descendre par ici !

Il ne manque rien sur ce paquebot : voici la piscine. Quel plaisir de
plonger et de jouer au ballon dans l'eau !

Martine est une excellente nageuse.

Mais attention : les chiens ne sont pas autorisés à se baigner avec
les enfants !

Midi. Miss Daisy emmène Martine au restaurant.

– Voici le menu, dit le maître d'hôtel :

Potage du jour.
Homard en Belle-Vue.
Poulet du chef.
Fromage. Dessert surprise. Café.

Quatorze heures. Il fait de plus en plus chaud. On n'entend plus que le bruit des hélices et le cri des mouettes.

Sur le pont, des passagers font la sieste. D'autres lisent des romans. Ceux qui n'ont rien à faire regardent passer les nuages.

Martine rêve dans sa chaise longue : elle se croit déjà en Amérique, dans les rues de New York ou bien dans les plaines du Far West.

Annie, la copine de Martine, est venue la chercher pour jouer au volant :

– Voici les raquettes. C'est à toi de commencer. Le volant saute à droite, saute à gauche.

– Moi aussi, je vais l'attraper, dit Patapouf.

Il bondit en l'air…

Une grosse vague secoue le navire.

Boum… Patapouf a manqué son élan. Il retombe sur le pont inférieur, dans les bras de monsieur Dupont. Monsieur Dupont s'était endormi en lisant un roman policier. Il roule de grands yeux et frise sa moustache :

– Je vais me plaindre au capitaine !

– Excusez-le, monsieur Dupont.

– Patapouf ne l'a pas fait exprès, dit Martine.

– Non, je ne l'ai pas fait exprès, semble ajouter Patapouf en agitant la queue.

Mais voilà que le temps se gâte.

Des nuages noirs courent dans le ciel. Le vent souffle en rafales.

La pluie tombe et le navire commence à rouler sur les flots.

On replie les chaises longues. Martine a mis son imperméable et son chapeau de toile cirée. Les vagues éclaboussent le pont. Le tonnerre se met à gronder tout à coup. Vite, il faut s'abriter !

C'est la tempête. Plus personne sur le pont. Les messieurs sont au bar. Ils jouent aux cartes ou aux échecs. Les dames font la causette au salon et les enfants lisent leurs livres d'images. Miss Daisy a mal à la tête.

Martine et Patapouf ne s'ennuient pas du tout. Les voici à la fenêtre de leur cabine. À travers le hublot, ils regardent la pluie tomber et les flots bondir sur la mer comme un troupeau de moutons.

Le beau temps est revenu. La tempête s'éloigne à l'horizon.

La mer se calme. De tous côtés, l'océan s'étend à perte de vue.

Soudain, tout près du navire, quatre dauphins sautent par-dessus les vagues. On dirait qu'ils s'amusent à faire la course. Ce sont les amis des marins.

Une semaine plus tard.

Le navire fend les vagues à toute allure. On approche des côtes américaines.

Miss Daisy prépare les valises dans la cabine. Sur le pont, Martine a retrouvé son amie. Le capitaine lui a prêté ses jumelles. Annie demande :

– Que vois-tu là-bas, Martine ?

– Je vois des remorqueurs. Il y en a trois l'un derrière l'autre. Ils viennent à notre rencontre… Et puis, plus loin, je vois le port de New York.

New York. On vient d'amarrer le paquebot. Voici les grues géantes,
les cargos ventrus, les gratte-ciel aux mille fenêtres. Le beau voyage
en mer est terminé. Miss Daisy, Martine et Patapouf débarquent.
Le cœur de Martine bat très vite. Sa petite amie est venue lui serrer
la main :

– Au revoir, Martine, et bon voyage en Amérique !

martine
en montgolfière

GILBERT DELAHAYE - MARCEL MARLIER

L'oncle Gilbert est pilote de montgolfière. Il a promis à Martine et
à Jean qu'ils pourraient l'accompagner dimanche au rallye-ballon.
Le jour de la fête, les concurrents se préparent.
C'est la fin de l'après-midi. Il fait beau. À cette heure, le vent se calme.
– Est-ce qu'ils vont partir tous ensemble ?
– Oui, sûrement, si tout se passe bien.
– Qu'est-ce qui fait s'envoler les ballons ?
– On les remplit de gaz. Ils s'élèvent parce que le gaz est plus
léger que l'air.
– Où est ton ballon ? demande Martine.
– Il n'est pas tout à fait pareil… Venez donc par ici. Nous allons
nous en occuper.
On décharge le ballon de l'oncle Gilbert à l'endroit prévu sur
le champ de foire.
Les enfants sont intrigués.
– C'est ça, ton ballon ?… Il est tout petit, tout plat !

– Comment pourrons-nous monter dedans ?

– Pas si petit que ça. Tu verras… Maintenant, les enfants, au travail !
Nous allons le gonfler.

– On va bien s'amuser ! dit Patapouf.

Les badauds s'approchent pendant que l'on dispose le matériel sur la
place : l'enveloppe que l'on déroule comme un grand parachute,
la nacelle pour les passagers, les bonbonnes de gaz, le brûleur et
l'extincteur.

– Un brûleur, oncle Gilbert ? Pourquoi donc ?…

– Parce que mon ballon n'est pas un ballon comme les autres. Il doit être gonflé avec de l'air chaud. Pour cela, nous aurons besoin d'un brûleur.

Pas tout de suite. D'abord nous allons envoyer de l'air dans l'enveloppe avec le ventilateur.

Il faut soulever la toile… comme ça, les enfants… pour que l'air pénètre bien dans l'ouverture et remplisse le ballon jusqu'au fond.

– Ça marche ! Ça marche ! dit Patapouf.

– Eh bien ! Patapouf, sors de là tout de suite ! Nous allons mettre le brûleur en action. Ce n'est pas le moment de faire des bêtises.

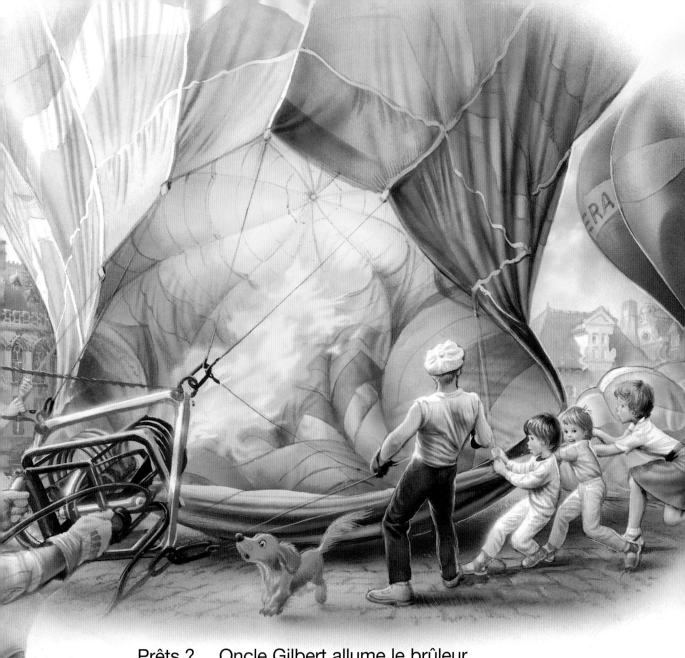

Prêts ?... Oncle Gilbert allume le brûleur.

Mes amis, vous parlez d'un vacarme !

En deux secondes, Patapouf est sorti de l'enveloppe
comme s'il avait un dragon à ses trousses.

Dans la bonbonne, il y a du gaz. Le brûleur à gaz
chauffe l'air. L'air chaud se dilate et ne demande
qu'à s'envoler avec le ballon.

Cet aérostat s'appelle une montgolfière.

La montgolfière est gonflée à point. Elle tire sur ses cordages.
Elle va s'envoler.

Il est temps de monter à bord. C'est une manœuvre délicate.

– Accrochez-vous à la nacelle… Tenez bon !

Il faut s'installer au mieux. Ne pas se laisser surprendre par un coup
de vent.

– Dépêchons-nous,
les enfants !…
Vous êtes prêts ?

Voilà, c'est parti !…
La montgolfière s'élève avec
les passagers.
La foule applaudit.
Papa et maman arrivent juste
à temps pour assister au
départ.
Jean regarde les spectateurs
disparaître sous la nacelle.
Martine retient son souffle.
– Tu n'as pas peur du vertige,
Patapouf ?
– Le vertige ? Qu'est-ce que
c'est ?
– C'est comme qui dirait le
mal de l'air.

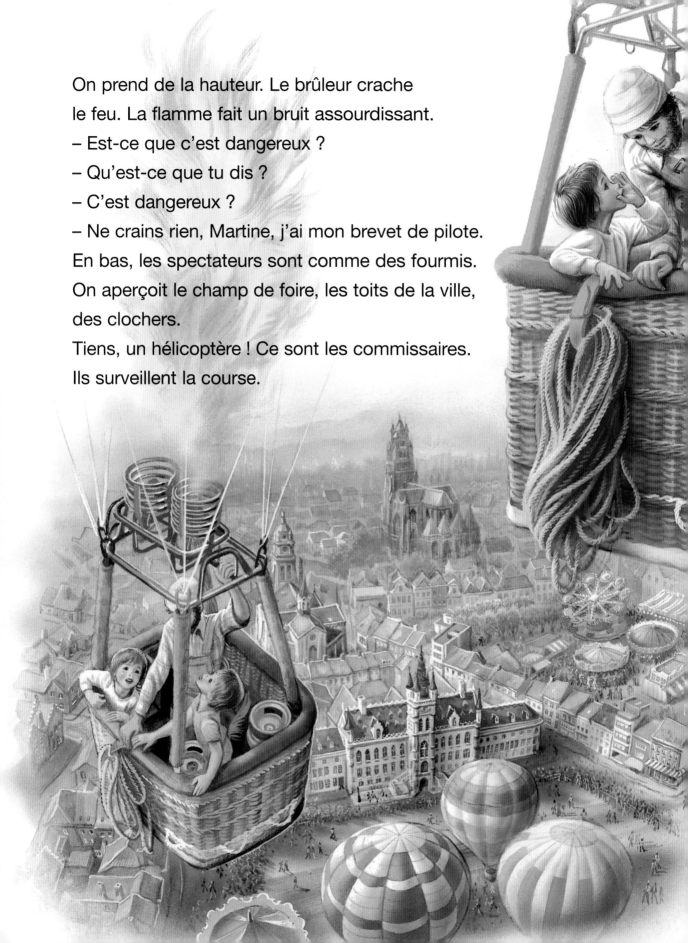

On prend de la hauteur. Le brûleur crache
le feu. La flamme fait un bruit assourdissant.
– Est-ce que c'est dangereux ?
– Qu'est-ce que tu dis ?
– C'est dangereux ?
– Ne crains rien, Martine, j'ai mon brevet de pilote.
En bas, les spectateurs sont comme des fourmis.
On aperçoit le champ de foire, les toits de la ville,
des clochers.
Tiens, un hélicoptère ! Ce sont les commissaires.
Ils surveillent la course.

Nous sommes presque à la bonne hauteur. Oncle Gilbert coupe le gaz.
Le brûleur s'éteint… et puis, un grand calme. À peine si l'on entend
le bruit d'un tracteur. Le paysage paraît endormi. Le chariot sur le
chemin, les vaches dans le pré, la péniche sur le fleuve, rien ne bouge.
Mais ce n'est qu'une illusion…
– On n'avance pas vite. Accélère ! dit Patapouf.

– Une montgolfière n'est
pas une automobile ! Pas
d'accélérateur, pas de frein,
pas de volant.
   – Alors, comment vas-tu
rattraper les autres
concurrents là-bas,
oncle Gilbert ?

– Pour manœuvrer, mes enfants, nous
allons utiliser le vent.
Mais le vent ne souffle pas toujours avec
la même force ni à la même vitesse.
Là il y en a peu et ici davantage. Cela
dépend de l'atmosphère. Il faut savoir
découvrir les courants. Le vent,
tu dois le chercher dans le ciel. Pour le trouver, il suffit quelquefois de
monter un peu… ou de descendre. C'est une question d'expérience.
– Regardez ce concurrent. Il fait du surplace… Dépassons-le !
– J'en vois deux sur la droite… Ohé ! Ohé !…

– À quelle hauteur sommes-nous ? demande Martine.

– Environ trois cents mètres… Naviguer dans le ciel n'est pas une promenade toute simple, croyez-moi.

– Qu'est-ce que cela veut dire, naviguer dans le ciel ?

– Vraiment, tu ne le sais pas ?

– Si, si… naviguer, c'est voyager sur un navire.

– Eh bien ! ma fille, on dit aussi naviguer dans les airs.

– Où allons-nous ? On ne sent même pas le vent. C'est curieux, non ?

– Si tu ne sens pas le vent, c'est parce qu'il nous entraîne avec lui.

On ne s'aperçoit pas de la vitesse à cause de l'altitude.

– Je veux descendre, dit Patapouf. Où est la maison ?

Oncle Gilbert se met à rire :

– On peut aller loin, sans qu'il y paraisse, quand on se laisse emporter par le vent.

– Voilà que le temps se gâte !

– Rassurez-vous. Ce n'est qu'un nuage qui passe.

– Des aigles !… Des aigles ! crie Patapouf.

– Mais non, gros nigaud ! Ces oiseaux sont des mouettes, réplique Martine. Si elles s'approchent trop, elles vont sûrement se brûler les ailes.

– Allez-vous-en !… Allez-vous-en !

Oncle Gilbert arrête le brûleur.

Les oiseaux se dispersent.

– Où sommes-nous à présent ? Consultons la boussole et la carte.

– Écoutez ! Voici l'hélicoptère. Il nous a repérés. Le pilote nous fait signe de descendre, dit Martine… Que se passe-t-il ?

Elle se penche pour observer le paysage. Et devinez
ce qu'elle aperçoit ? Des bateaux dans un port,
des grues, un phare tout blanc... la mer au loin.

– La mer ? On va se noyer !

– Patapouf, ne dis donc pas de bêtises ! intervient
l'oncle Gilbert. Nous allons atterrir dans les dunes...
ou sur la plage. Tout se passera très bien.

Martine s'inquiète. Elle écoute les bruits qui montent
de la terre : le va-et-vient de la circulation, les cris des
enfants qui jouent au ballon, la sirène d'un bateau.

– Savais-tu, oncle Gilbert, que nous allions atterrir
à la côte ?

– Pardi ! Je m'en doutais un peu. Avec ce vent d'est,
il fallait s'y attendre... Quand même, nous avons eu de
la chance. Je crois que nous avons gagné la course.

– Où sont passés les concurrents ?

– Peut-être ont-ils consommé trop de gaz et ils sont
tombés en panne ? Ils ont perdu de la hauteur.

Ou bien ils n'ont pas su profiter des courants et, faute
de vent, ils ont dû se poser dans la campagne ?
Nous serons fixés bientôt.

L'essentiel, à présent, c'est de réussir notre
atterrissage.

Reste à choisir au plus tôt l'endroit propice...

Ce serait bien si on pouvait se poser sur le sable.

Éviter les arbres et le terrain de camping.

– La montgolfière !... la montgolfière ! crient les enfants dans les dunes.

– Elle descend. Regardez : ils vont atterrir par ici, c'est certain.

– Et s'ils tombent dans la mer, est-ce que… ?

– Mais non, ils vont s'en tirer.

– Hep là-bas ! Attention à mon cerf-volant !

Patapouf n'est pas à son aise.

Pas du tout. Il retient sa respiration.

Si j'avais su, je serais resté à la maison,
pense-t-il.
Le cœur de Martine s'emballe.
La montgolfière file vers la plage.
Encore quelques secondes…

Le vent pousse l'aérostat vers la mer. La nacelle traîne sur le sable…

C'est la culbute…

On se relève. Il s'agit de maintenir la montgolfière en place pour que le
matériel ne soit pas abîmé. Les curieux accourent :

– Rien de cassé ?

– Non, merci, tout va bien.

L'hélicoptère atterrit tout près de là.

Le commissaire de la course saute à bas de l'appareil :

– Bravo, Monsieur ! Bravo, les enfants ! Vous avez gagné le rallye. Les autres concurrents ont dû se poser dans les champs. C'est vous qui avez parcouru la plus longue distance… Heureux que vous ayez pu atterrir sans pépins !

Il aide l'oncle Gilbert à vider complètement l'enveloppe. S'il reste de l'air chaud à l'intérieur, le vent risque de soulever la montgolfière et de provoquer un accident.

Mais tout se passe bien. Le soir tombe et le ciel est serein. La mer apaisée roule ses vagues sur la plage. On croirait que la nuit ne va jamais venir. Autour de la montgolfière, les curieux s'attardent…

– Je te l'avais dit qu'ils allaient se poser par ici ! fait un garçon plein d'enthousiasme. J'avais raison.

– Le pilote est un as. Hip, hip, hip, hourra !

Martine et Jean sont fiers de l'oncle Gilbert.

– Comment ce rallye s'est-il passé ? demande un journaliste.

– Ce fut un voyage extraordinaire !

– Vous savez, dit Patapouf, on n'a pas tellement eu peur.

– Il était temps de vous poser. Le vent vous aurait poussés vers le large.

Un garçon s'approche, un ballon sous le bras :

– Est-ce que je peux monter avec vous ?

– On arrive ! C'est trop tard pour aujourd'hui, mon vieux !

Nous rentrons à la maison, répond l'oncle Gilbert… Allons, les gars, aidez-nous à replier la montgolfière.

martine
prend le train

GILBERT DELAHAYE - MARCEL MARLIER

Martine, Jean et Patapouf vont prendre le train samedi.

– À quelle heure y a-t-il un départ pour Dieppe ?

– Cela dépend des jours. Allons consulter les horaires…

– Tu vois, papa, il y a un train le matin à 11 h 57.

– Oui, sauf le samedi. Vous prendrez donc celui de 13 h 40.

– Quel tableau compliqué ! Que signifient tous ces signes ?

– Regarde, Martine. C'est expliqué ici. Ce train ne circule que les dimanches et les jours de fête. Celui-ci est supprimé le samedi. Et celui-là comporte une voiture-restaurant.

Le jour du départ, les parents de Martine sont venus accompagner
les enfants jusqu'à la gare.

– Deux billets pour Dieppe, a demandé papa au guichet.

– Quel dommage que papa et maman ne soient pas libres !
On aurait fait le voyage ensemble.

– Quand le train part-il ?

– Dans un quart d'heure exactement. Voilà vos billets. Ne les perdez pas.
On vous les réclamera.

– Papa, où est le train pour Dieppe ?

– Votre train part du quai numéro 5. Vous devez changer à Amiens. Ne l'oubliez pas !

– Tu viendras nous rejoindre, maman ?

– Bien sûr. Je vous écrirai.

– Nous allons dormir dans une voiture-lit ?

– Mais non, Patapouf ! Ce soir, vous serez arrivés. Ce n'est pas un si long trajet.

Voici un chariot électrique. Il transporte les bagages sur le quai.

– Tiens, une bicyclette qui voyage !... Mais c'est la mienne ! s'écrie Martine.

– Oui, je l'ai fait enregistrer au bureau des marchandises. À ton arrivée, tu la retrouveras.

Quai numéro 5. Le train « Corail » attend les voyageurs.

Un mécanicien jette un dernier coup d'œil sur la motrice électrique :
une machine toute neuve qui ne demande qu'à foncer. Et puissante,
avec ça ! On dirait un monstre avec ses butoirs et ses gros phares.

Dans sa cabine, le chauffeur lève la main :

– Les amis, bonjour et… bon voyage !

Le chef de gare surveille sa montre, le bâton à la main. Ce n'est pas
le moment de traîner. Vite, Martine !…

Martine et Jean sont installés dans le train. Ils ont trouvé une place à la fenêtre. Martine est très émue : c'est la première fois qu'elle voyage seule avec son frère.

Papa et maman sont restés sur le quai. Dans quelques secondes, c'est le départ :

– Soyez prudents ! crie maman.

– Ne t'inquiète pas ! Tout ira bien… Au revoir !

– Téléphonez-nous aussitôt que vous serez arrivés.

Un coup de sifflet. Les portières claquent. On démarre, on prend de la vitesse. Les parents de Martine ont disparu dans la foule. Mais que se passe-t-il sur le quai ?

C'est un voyageur qui court après le train, cravate au vent, l'imperméable sur le bras. (Sans doute a-t-il fait la sieste ?)

Tant pis ! Il faudra qu'il attende le prochain départ.

Vous savez, on ne monte jamais dans un train en marche. C'est dangereux.

Un feu vert, des aiguillages, le train passe d'une voie sur une autre.
On est un peu bousculés.

Martine fait connaissance avec les voyageurs :

– Nous allons à un mariage, dit un garçon.

– Je tricote pour la poupée de ma petite sœur, explique une fillette
en comptant ses points.

Le monsieur en face de Martine, lui, ne dit pas un mot. Il est plongé
dans les nouvelles du matin.

– Qu'est-ce qui est écrit là ? Ça doit être de l'allemand. Je n'y
comprends rien… Tiens, une bande dessinée ! Voyons
un peu. Lire dans le train, cela n'est pas toujours
commode !
Ces deux musiciens voyagent de pays en pays
à pied, en auto-stop et en chemin de fer.
– Vous n'êtes jamais fatigués ?
– On se repose par-ci par-là. Et vous ?
– Nous ? On va chez des cousins
qui habitent au bord de la mer.

Le train file à travers la campagne. Par la vitre, on aperçoit un village, une église. Des chevaux, un poulain galopent dans un pré. Le toit d'une maison luit parmi le feuillage. Au loin, des vergers, des prairies, des collines à perte de vue.

Cette route entre les arbres, où conduit-elle ?

On aimerait vivre avec les gens de ce pays…

Mais la machine emporte les voyageurs à toute vitesse. On dirait
qu'elle ne va plus jamais s'arrêter. L'horizon fuit. Voici d'autres
champs, d'autres villages. On a beau dire, ça fait une drôle
d'impression de se trouver si loin de la maison ! Martine pense à papa
et à maman. Jean est un peu inquiet :

– Les cousins viendront-ils nous chercher à la gare ?

– Vos billets, s'il vous plaît ? demande le contrôleur.

Il renseigne les voyageurs. Il vérifie les billets.

– Où est le mien ? Dans ma poche ? Dans mon sac ? Est-ce que je l'aurais perdu ?… Ouf ! Le voici !…

– Vous devez changer de train à la prochaine gare, dit l'employé des chemins de fer. Sinon, mes enfants, vous n'arriverez pas à la mer aujourd'hui.

Il est aimable, le contrôleur. Il ne demande qu'à rendre service.

Il connaît les horaires presque par cœur.

À l'arrêt suivant, les enfants descendent.

Oh ! là ! là ! que ces bagages sont encombrants !... Et Patapouf qui
ne veut pas rester tranquille ! Il court à droite, à gauche.

– Vite, vite, le train va repartir !

– Pose le sac par terre, Martine. Je te passerai le voilier et le filet
de pêche.

Il ne s'agit pas de manquer la marche. Heureusement, les voyageurs
ne sont pas nombreux à cette heure de la journée.

– Monsieur... le train pour Dieppe ?

– De l'autre côté du quai, a répondu le contrôleur. Mais on ne traverse
pas les voies. Il faut emprunter la passerelle.

La passerelle ? Nous y voilà. On en voit des choses de là-haut !

Des rails qui s'enchevêtrent. Des signaux qui s'allument, qui bougent.

La cabine de l'aiguilleur. Des machines qui manœuvrent.

On a le temps de flâner : le train ne part que dans une heure.

– Pas d'accord ! se dit Patapouf.

Il est pressé de partir. Manquer le train ? Ce serait trop bête,

n'est-ce pas ?

– Hop ! je saute… Vous me suivez, oui ou non ?

– Ici, on embarque les marchandises. Il faut monter avec les voyageurs

comme tout le monde, petit nigaud !

On voit bien que Patapouf n'a jamais pris le train.

– Descends de là tout de suite, sinon je me fâche !

– Je ne peux pas. J'ai mal à la patte.

Ce petit chien, tout de même, quel têtu !

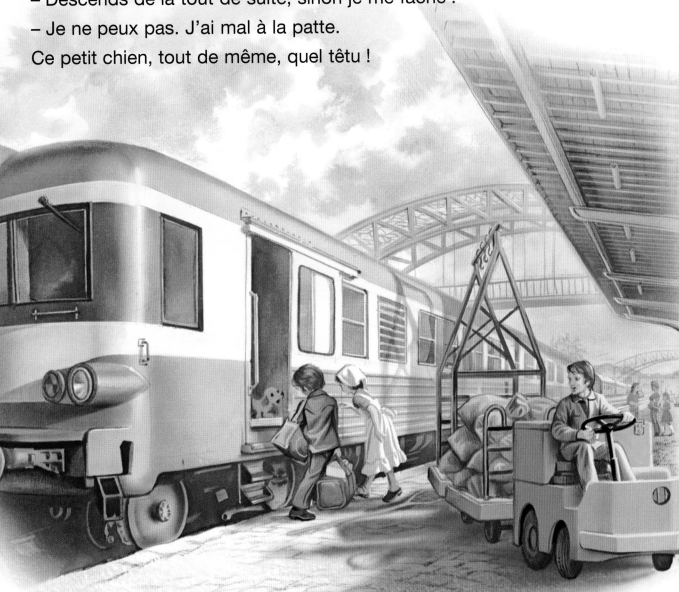

À l'heure juste, le convoi démarre et le voyage continue...

Mais le train n'est pas un express. Il prend tout son temps. Un arrêt, deux arrêts. Une dame entre dans la voiture :

– Bonjour, les enfants ! Je peux m'asseoir à côté de vous ?

– Oui, bien sûr !

On l'aide à placer sa valise.

– Et ce paquet, madame, faut-il le mettre aussi dans le filet ?

– Non, merci ! Je préfère le garder sur mes genoux.

– C'est fragile !… Votre chien n'est pas méchant, je suppose ?
demande la dame.

Elle soulève le couvercle du carton avec précaution :

– Je vais vous montrer ce qu'il y a là-dedans… C'est un chaton.
N'est-ce pas qu'il est mignon ? Une surprise pour mon neveu.
Vous savez, cette petite bête ne prend pas beaucoup de place…

On n'en finit pas de parler tandis que le train roule, roule.

C'est tellement plus agréable de voyager ainsi !

Le temps passe vite quand on bavarde.

Un coup, deux coups d'avertisseur. Le train de Martine entre en gare. C'est la fin du voyage.

Au bout du quai, le cousin, la cousine attendent Martine et Jean avec impatience :

– Le train !... Je l'aperçois là-bas !

– Mais non, ce n'est pas celui-là !

– Qu'est-ce que tu paries ?

– Tu as raison. C'est lui. Voici le train de Jean et de Martine !...

Ils arrivent ! Ils arrivent !

Quel plaisir de se retrouver, cousins, cousines !

On en a des questions à poser ! « Le voyage s'est bien passé ?… »
« Combien de temps restez-vous ?… » « Pourquoi n'êtes-vous pas
venus plus tôt ?… »

La sortie de la gare est par ici. On se fraie un chemin dans la foule.

Il faut encore prendre le car : quelques kilomètres de route à peine.

Autant dire qu'on est arrivés… Ne pas oublier de donner un coup de
fil à maman. Elle sera si contente !

http/www.casterman.com
D'après les personnages créés par Gilbert Delahaye et Marcel Marlier / Léaucourt Création.
Achevé d'imprimer en novembre 2009 en République de Malaisie par TWP.
© Casterman 2010
Dépôt légal : Février 2010 ; D.2010/0053/10.

Déposé au ministère de la Justice, Paris
(Loi n° 49.956 du 16 juillet 1949 sur les publications destinées à la jeunesse).